华夏万卷®
让人人写好字

名师堂

跟田英章学楷书

田英章 著

上海交通大學出版社
SHANGHAI JIAO TONG UNIVERSITY PRESS

图书在版编目（CIP）数据

跟田英章学楷书 / 田英章书. —上海：上海交通大
学出版社，2015
（名师堂）
ISBN 978-7-313-14018-0

Ⅰ.①跟… Ⅱ.①田… Ⅲ.①楷书-书法
Ⅳ.①J292.113.3

中国版本图书馆 CIP 数据核字（2015）第 256580 号

跟田英章学楷书
GEN TIAN YINGZHANG XUE KAISHU
田英章 书

出版发行：上海交通大学出版社　　地　址：上海市番禺路 951 号
邮政编码：200030　　电　话：021-64071208
印　刷：成都祥华印务有限责任公司　　经　销：全国新华书店
开　本：787mm×1092mm　1/16　　印　张：4.5
字　数：108 千字
版　次：2016 年 1 月第 1 版　　印　次：2020 年 11 月第 10 次印刷
书　号：ISBN　978-7-313-14018-0
定　价：22.00 元

致读者

钢笔书法被认为是现代人提高综合素质的一门必修课。一手漂亮的好字被称作人的“第二张脸”，而一本权威的书法字帖则是习字者练好字的关键所在。基于此点考虑，我们在名师堂系列中特别推出了这套权威钢笔书法范本，特邀著名书法家田英章，用其最擅长的书体精心书写，最大限度地满足了不同习字者的练字需求，习字者可以依据个人喜好选择适合自己的范本。

本书作者结合自身多年的书法实践，为广大书写爱好者讲解如何选择范帖、如何选择书写工具、如何练好字，以及在书写时应该注意哪些事项等书法基础知识。同时，从人们日常学习生活中遴选使用频率高、有代表性的偏旁部首、间架结构入手，为习字者进行强化训练。除此之外，还特意收录了作者的书写菁华，藉此激发练习者的书写兴趣。本书版式新颖，内容丰富多样，尽可能多地让习字者通过熟练掌握书法技法，写出一笔好字来。

此外，本套书的另一显著特点在于，采用不蒙纸的练字形式，范字更直观、清晰，还能有效保护视力。读者在使用本书时，以临写为主。古人云：临书多得书家笔意。学习书法，要把临帖看做是登堂入室的钥匙。临的次数越多，基础就越牢固。我们相信，只要您坚持根据本帖认真练习，您的书写水平一定会大有长进。

目录

第一章　书法基础知识

第一节　书法浅谈

学习书法，最好是先临习古人的碑帖，因为古人书法在结体和用笔上都十分讲究，这是先贤们从长期实践中总结出来的艺术结晶。因此临习古人碑帖，不仅可以帮助我们了解中国文字的形成、演变与发展，而且对于笔法和间架也会有一个正确的认识起点。

初学书法应根据确有书法造诣的师友的建议，结合自己的喜好和客观条件，选好一种范本。范本要求字迹清晰，便于临摹。范本既已选定，就应在一定的时期里坚持临摹。切勿今天写欧，明天写柳，后天又学颜，随着自己的兴趣，“见异思迁”只会白白浪费了时间和精力，到头来什么也学不好。

赵孟頫曾讲过：“昔人得古刻数行，专心而学之，便可名世。”临摹字帖切忌贪多，应宁精勿滥。初学书法的朋友，学字不必究其数量的多少，而应注意专精。应在练好几个字的基础上再慢慢扩展开来，不要怕枯燥乏味。没有长期艰苦的磨炼，那么学书也只是镜中花、水中月。我们应该定下心来，持之以恒，必有收获。特别对于初学书法的朋友来说，个人的“风格”和所谓的“个性”，肯定是极为有害的，最终的结果是一事无成。

关于书法临摹应该有三个步骤：（1）认真观察；（2）严格落笔；（3）反复校对。详细地说，就是在临写以前应认真观察、分析和揣摩。仔细看一看范字的形状结构、长短肥瘦、重心中心等等。例如范字竖画，是怎样的写法？是长，是短？是“悬针”，还是“垂露”？是垂直的，还是略有倾斜的？如果有倾斜，是向左还是向右，角度大概是多少？都要用心观察，做到心中有数。另外，还要根据笔画之间的关系来确定它的位置。这一切都要揣摩推敲，并努力记在脑子里，然后在你认为可以的情况下，再去认真落笔。书毕，再和原帖认真检查，反复对照，找出不足，调整方法，以利再行临写。如此循环往复，功到自然成。这也算是临摹的一个“诀窍”吧。

切忌“抄帖”。抄帖是不顾范本的点画形状、间架结构、笔画之间的关系，而埋头写下去，随心所欲任意为之，这其实不是在临帖，而是在“抄帖”。自然，抄帖与抄书相同，尽管反复书写，也决不会有什么长进。

临摹的过程应该是这样一个公式：形似—神似—不似。

形似，就是力求在形状上接近。神似，在形似的基础上，追求神态、气势、力度等内在韵味的近似，能做到以假乱真当然最好。不似，将所学的技术、方法用于自己的实践，创造和完善一个具有自己风格特点的书体形式，这和所学的书体又不相似了，发生了“质”的变化，这就是不似，是临摹最高的阶段。当然，没有几十年的寒窗之苦，要达到这样的阶段，基本上是不可能。这就是学习书法中“入帖”和“出帖”的辩证关系问题。

因此，我们必须老老实实地临上几本帖、按部就班地沿先贤们开辟的艺术道路去走，只有坚持，才有可能登上艺术的高峰。

古人云：“工欲善其事，必先利其器。”人类的智慧，无不表现在对工具的使用和改造上。但是，学习硬笔字的人一定要知道，硬笔字只是为了实际生活、工作、交往中将字写得好看一些，但如要把它上升到艺术范畴去认识，那就不是一件容易的事了。

中国的书法艺术，当然不是光靠写就可以掌握的，它需要具备一定的历史、文学、文字学和美学等各方面的知识，以这些知识作它的基础，写出来的字才有所谓的“书卷气”。而这书卷气是书法艺术的研习中最为难得的。但是就其笔和纸的接触艺术来说，它毕竟是时间和汗水的结晶。

第二节　练字的基本概念

练字一定是主动的，而不能是盲目被动的，要了解所做的每一步的意义所在，才可能有效果，并为下一步打下基础。因此，在练字之前，必须首先搞清楚以下几个概念：

一、笔画　笔画是构成汉字的基本零件，笔画写不好，习字就无法进行下去，笔画练习是习字的基础。

二、偏旁部首　偏旁部首是笔画与结构的简单组合，包括部分独体字和部分偏旁符号，构成上较容易掌握。汉字大多是合体字，即是由偏旁部首组成的，学好它是习字入门的一个突破口。

三、结构　结构是汉字构成的布局规律与法则，好比组装零件的说明图纸，有再好的零件，不按规律要求组装，也成不了好产品，所以结构练习是习字的关键。

四、描红　描红是练字之初的最简单手法，就是在红色字模上描写一遍。“描”最简单，作用却很大。试想，一个字如果描都描不好，怎么可能写好呢?

五、摹影　摹影是描红的提高和进一步发展，就是用一张薄纸，盖在字模上摹写一遍。其作用与描红相同，只是难度稍大了一些。摹影是为了培养习字者的意识，强化对范字的准确印象，即了解笔画的粗细变化、用笔的轻重不同、结构的规律等。

六、临写　临是习字的最主要、最直接、最关键的方法，描与摹都是为临而服务的。临是对照范字来书写，是对自身观察力、用笔技巧、结构运用的集中训练。

七、范字　范字是指单个的供习字者描、摹、临写的例字，习字往往要从单字练习开始。

八、范帖　范帖是指大段成篇供习字者临习的字帖。初学者基本掌握单字的书写后，就可以临写篇章段落，接触更多单字的结构变化，并体会单字在大段文字中的变化及应用。临帖是习字的最终练习途径。

第三节　硬笔书法常识

我们写字离不开笔、纸和墨水，而优良的书写工具和相互间的恰当配合，对写好字有很大帮助。因此在开始练字之前，了解和掌握各类笔、纸、墨水的特点和性能是十分有必要的。

一、笔　现在我们工作中比较常用的笔有：钢笔、签字笔和圆珠笔。

签字笔和圆珠笔携带方便、出墨均匀，在现代办公时代，它们的使用是最为广泛的，在选择上也没有一个固定的标准。但是对书写而言，钢笔仍然是最常用的。而钢笔的选择，在于得心应手，一般以普通的铱金笔为好。在选购时要试写，除了在纸上画些横竖线条以外，也可多写几个“8”字试验。若书写时笔尖不扎纸、不钩纸，说明笔尖圆滑；在转弯处线条粗细变化不突然，说明出水顺畅；再通过提按试写，笔画有粗细变化，说明笔尖弹性较好，这样的笔即符合要求。

二、纸　硬笔写字对纸的要求没有很大讲究，一般来讲，以 60 克或 70 克书写纸较为合适，也最为常用。其性能特点是厚薄适中，纸质细腻，不会渗化，吸墨性能好，书写时有一定的阻力，手感良好，因而写出的字线条流畅、稳健。

三、墨水　墨水的品种很多，按其颜色不同，有黑墨水、蓝墨水、红墨水等。其中，纯蓝墨水是染料墨水，色淡易褪，不适宜钢笔练习；蓝黑墨水相对而言凝固性较好，较适宜于书法练习；黑墨水的凝固性很强，墨迹乌黑闪亮、光泽醒目、反差大、对比强烈，因此最受书法爱好者青睐，但在使用时应注意保存，以免水分蒸发，墨水凝固，发生沉淀结块，甚至损坏钢笔。另外，钢笔在吸墨水时，宜少不宜满。

第四节　怎样练好字

练好字有两个要点：一是用好的练字方法；二是选好的范帖。

一、好的练字方法

好的练字方法能使练字事半功倍。目前最佳的、最有效的方法就是对字帖进行临摹，学它的点画结构、用笔动作。但练习时，仍然有很多练习者效果不好，其原因主要在于：

1. 没有处理好临与摹的关系。初学者由于自由书写已成习惯，在字形大小、笔画粗细、间架位置、用笔动作等各方面都与原帖存在很大的差距，应提倡多摹少临。

2. 不定时。不能坚持每天临摹或不能保证临摹时间，断断续续，时多时少。

3. 不定量。贪多求快，浮光掠影，达不到长期记忆的效果。临摹要取得好效果，定量很重要，宁少毋多，少则得，多则惑。提倡一个范字写十次，不提倡十个范字写一次。

4. 书写速度太快。一般临摹不像范字的症结在于运笔速度太快，无节奏感。书写动作由生到熟，先慢后快，熟能生巧。慢求稳，快易乱。

5. 没有注意调剂心情问题。练字的时候要心平气静、善始善终。如果心平气和，则能静下心来认真练字；如果心烦意乱，沉不住气，则效果甚微。

6. 不要轻易变换字体。练字要有恒心、有毅力，要持之以恒，切忌三天打鱼，两天晒网。

二、选择一本好的范帖

一个不容忽视的现象是，在目前图书市场上众多的硬笔书法字帖中，真正好的，具有学习价值的只占一部分。因此，初学者如何鉴别和选择一本好的字帖是非常重要的。

首先，习字是否能很快取得成功，在于方法是否正确可行。而习字方法的根本又在于范字的优劣。只有具备了高水平的范字，才能谈到该字帖习字入门方法的好坏，否则，用再好的方法去练习一些平庸的字，花多大力气也是白费时间。

其次，学会辨别哪种方法才是行之有效的练字法。分辨优劣并不难，再高明的习字方法也是通过对汉字分析总结，以描、摹、临为手段，进行笔画与结构的练习。再怎么神奇有效的方法，也需要去踏踏实实地下一番苦练的功夫。可以明确地说，如果一本习字教材，不教你学习基础笔画和结构，范字又毫无美感，则多半有欺人之嫌。

第五节　学习楷书，应注意些什么？

硬笔楷书具有三个特点：（1）讲究用笔；（2）笔画分明；（3）结构方整。

历代许多书法家都主张把楷书作为学习书法的第一步。实践证明，只有经过系统的楷书练习，才能了解汉字笔画和结构的特点和要求，才能掌握汉字的组合规律，从而为练就一手流畅自然的行楷、行书甚至行草打下坚实的基础。

楷书是习字的基础课，一定要重视并过好这一关。有良好的楷书功底，学习行书自会轻松自如得多。学楷书的关键在于首先把握好其笔画，进而要处理好结构。楷书的特点是严谨、规范，所以要做到笔笔不苟、字字规矩。其实笔画变形分类虽多，皆是由基本的点、横、竖、撇、捺、钩、折、提八类所组成，只要写好这八种基本笔画，所有笔画便不难掌握。至于楷书的结构则更要研究推敲，多阅读有关理论指导。

第二章　基本笔画练习

基本笔画，是组成汉字的基本要素，不懂得基本笔画的形状、形态和行笔方法，将无从下笔书写。基本笔画的书写技巧，是学书者需要努力练习的。笔画与结构在练习中虽分先后，但不可脱离笔画先练结构，更不可脱离结构去练笔画。

点的练习：右点　左点　挑点

右　点

扫码看书写示范

丶	主	太	尽	卞	义	应
丶	主	太	尽	卞	义	应

挑战繁体字

云　雲

左　点

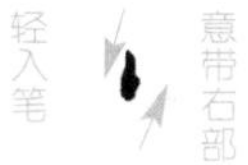

扫码看书写示范

丶	火	乐	京	亦	尖	尔
丶	火	乐	京	亦	尖	尔

挑战繁体字

爱　愛

挑　点

扫码看书写示范

丶	关	羊	函	养	羌	泰
丶	关	羊	函	养	羌	泰

挑战繁体字

冯　馮

横的练习：长横　中横　短横

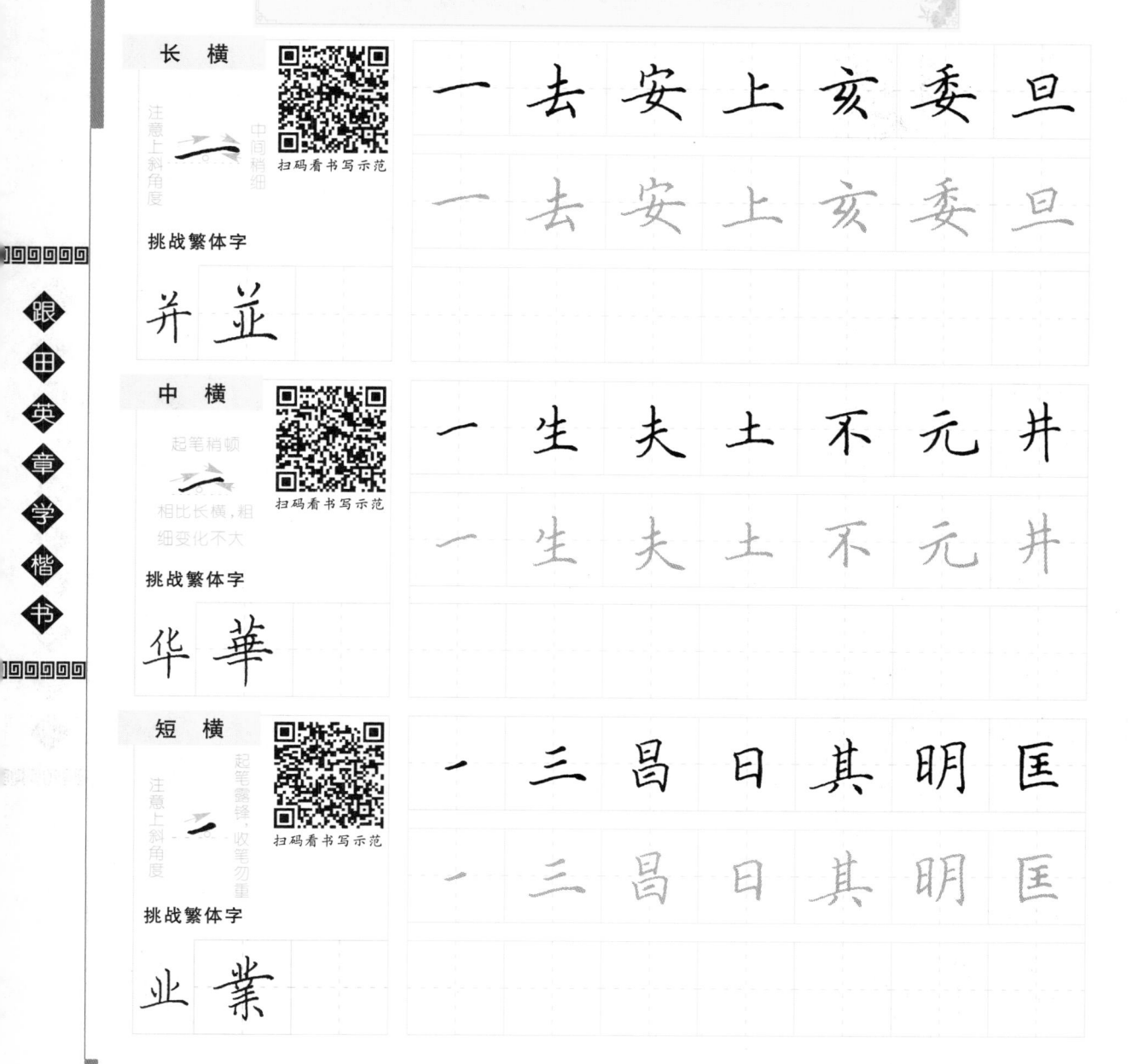

长横

注意上斜角度　中间稍细

扫码看书写示范

挑战繁体字

并　並

一　去　安　上　亥　委　旦

一　去　安　上　亥　委　旦

中横

起笔稍顿

相比长横，粗细变化不大

扫码看书写示范

挑战繁体字

华　華

一　生　夫　土　不　元　井

一　生　夫　土　不　元　井

短横

注意上斜角度　起笔露锋，收笔勿重

扫码看书写示范

挑战繁体字

业　業

一　三　昌　日　其　明　国

一　三　昌　日　其　明　国

●横画的书写关键在于：起笔收笔要轻顿、左低右高取斜势。

●长横常常在一字之中作主笔，宜伸展。中横、短横可在笔画的长短、起笔处变化。

●一字之中横画较多时，各个横画之间应保持等距、平行。

横画要略斜

竖的练习：短竖　垂露竖　悬针竖

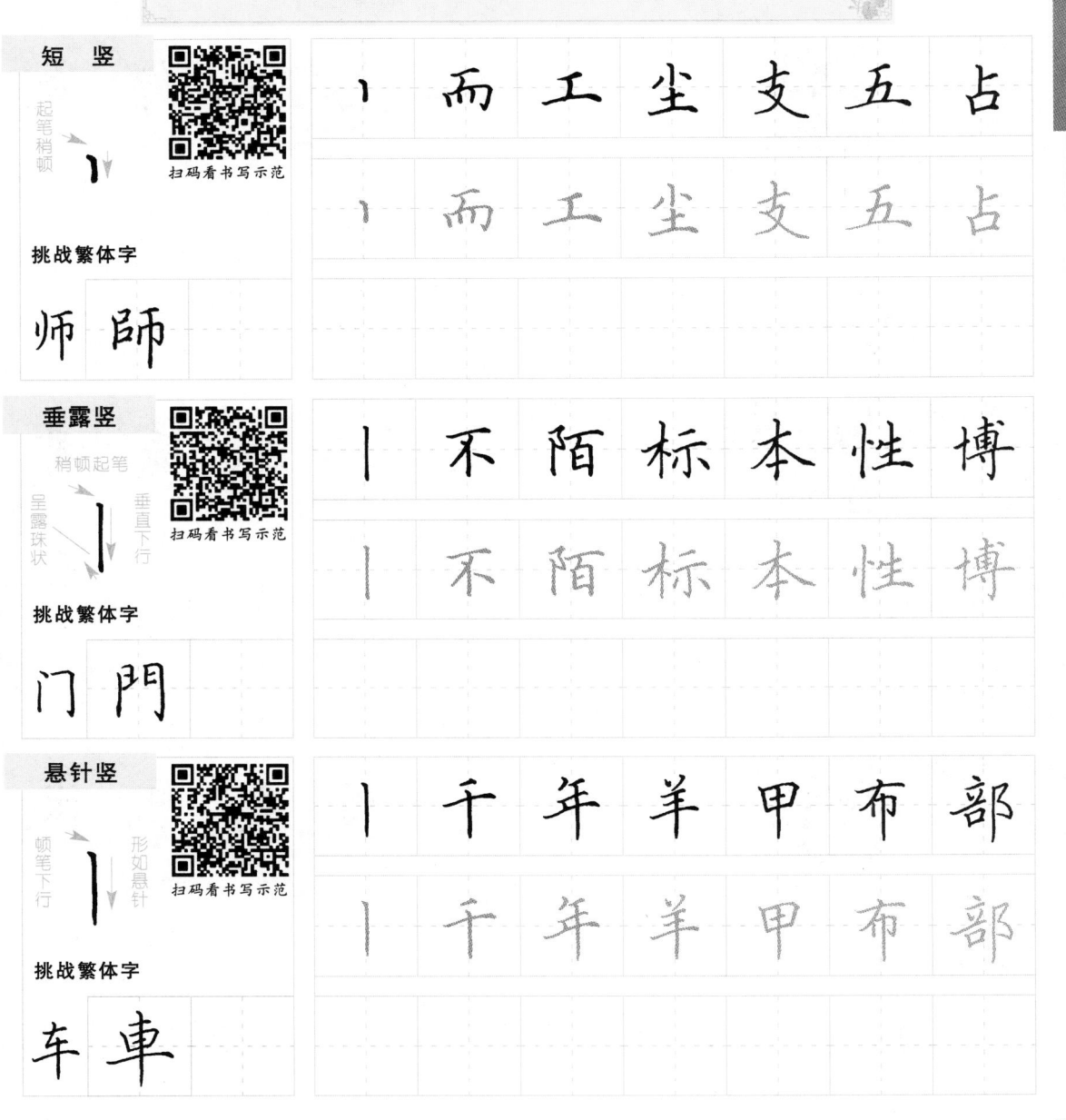

短竖

起笔稍顿

扫码看书写示范

丨	而	工	尘	支	五	占
丨	而	工	尘	支	五	占

挑战繁体字

师 師

垂露竖

稍顿起笔　垂直下行　呈露珠状

扫码看书写示范

丨	不	陌	标	本	性	博
丨	不	陌	标	本	性	博

挑战繁体字

门 門

悬针竖

顿笔下行　形如悬针

扫码看书写示范

丨	千	年	羊	甲	布	部
丨	千	年	羊	甲	布	部

挑战繁体字

车 車

- 竖画起笔轻顿后，向下垂直书写。
- 垂露竖可以替代悬针竖。
- 当竖画在左侧时可向右凸，在右侧时可向左凸。

竖画要垂直

撇的练习：短撇　长撇　竖撇

短撇

扫码看书写示范

㇒	坐	禾	失	毛	句	丘
㇒	坐	禾	失	毛	句	丘

挑战繁体字

众 衆

长撇

扫码看书写示范

丿	人	度	少	左	层	考
丿	人	度	少	左	层	考

挑战繁体字

为 爲

竖撇

扫码看书写示范

丿	史	周	犬	更	月	火
丿	史	周	犬	更	月	火

挑战繁体字

斩 斬

●撇画因书写角度、弧度的不同而分类。

●短撇多位于字头，斜撇多位于字的左部，竖撇多位于字的左部或中部。

●无论何种撇画，均要舒展大方，但并非一笔甩出，形成虚尖。

撇画要舒展

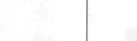

捺的练习：正捺　平捺　反捺

正捺

扫码看书写示范

㇏	又	技	夺	反	权	术
㇏	又	技	夺	反	权	术

挑战繁体字

会 會

平捺

扫码看书写示范

㇏	之	边	延	廴	道	超
㇏	之	边	延	廴	道	超

挑战繁体字

过 過

反捺

扫码看书写示范

㇔	贝	食	实	否	贡	退
㇔	贝	食	实	否	贡	退

挑战繁体字

长 長

- 捺画难写之处在于捺角、波折。
- 捺角应轻顿笔后向右平出。
- 波折在平捺中较明显，应向上拱起后向右下方行笔，最后平出。

捺画要顿笔平出

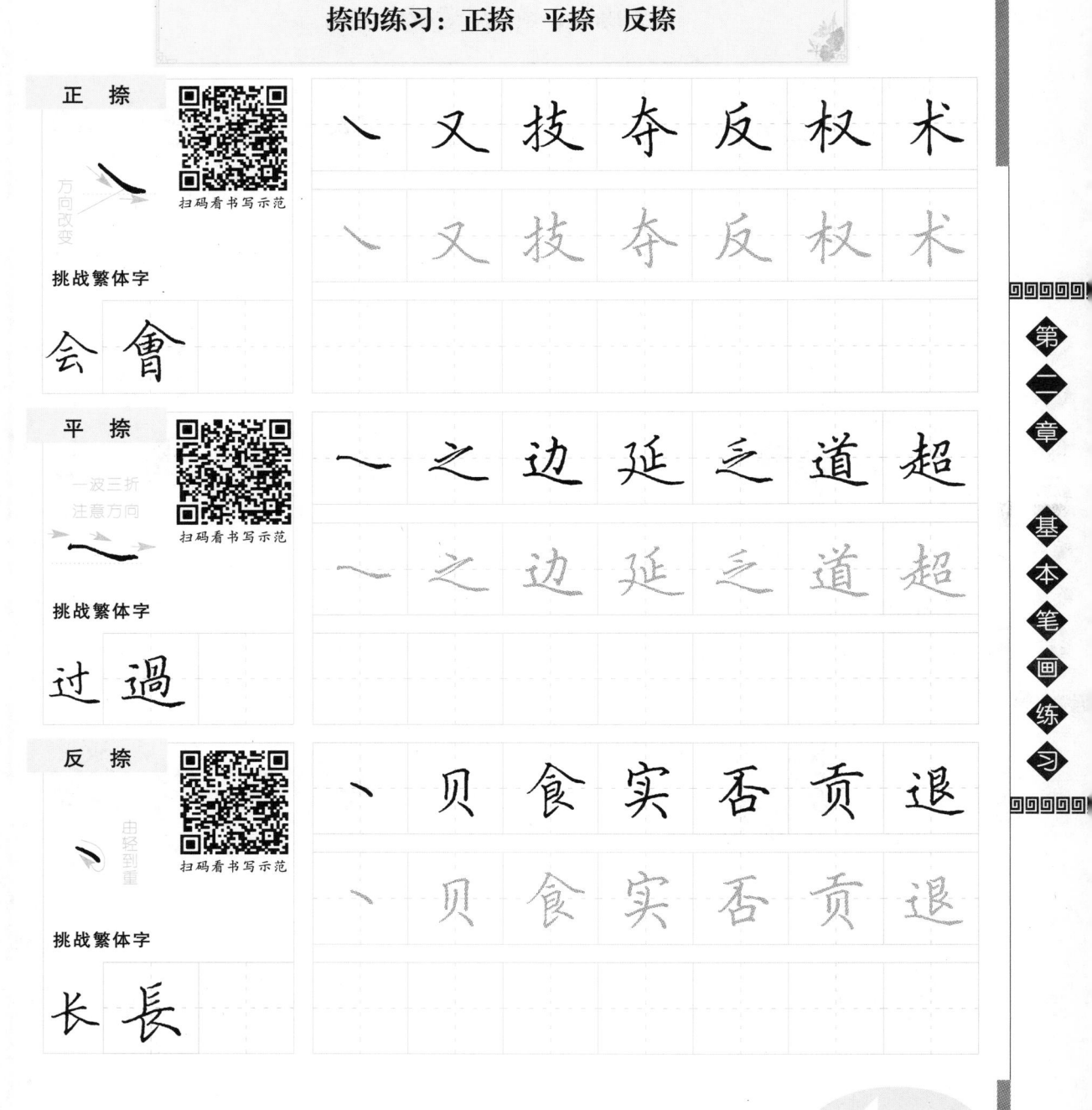

折的练习：横折　竖折　撇折

横折

稍驻折笔左下行
横笔由轻到重

扫码看书写示范

㇕	口	已	皿	丑	巴	回
㇕	口	已	皿	丑	巴	回

挑战繁体字

视　視

竖折

竖短横长

扫码看书写示范

㇗	出	画	匠	山	幽	臣
㇗	出	画	匠	山	幽	臣

挑战繁体字

穷　窮

撇折

注意夹角

扫码看书写示范

㇜	云	红	去	至	幻	丢
㇜	云	红	去	至	幻	丢

挑战繁体字

纪　紀

●折画重在转折处，可方可圆，是在组合笔画中最常应用的笔画。

●折画中横向笔画长，字整体呈扁方形；纵向笔画长，字整体呈长方形，在书写中应注意把握整体。

折画要方圆有度

提的练习：提　横折提　竖提

提

扫码看书写示范

㇀	习	级	孙	虫	招	坛
㇀	习	级	孙	虫	招	坛

挑战繁体字

烟　煙

横折提

扫码看书写示范

㇊	话	误	诵	话	诲	诱
㇊	话	误	诵	话	诲	诱

挑战繁体字

说　說

竖提

扫码看书写示范

㇙	长	氏	底	弧	衣	浪
㇙	长	氏	底	弧	衣	浪

挑战繁体字

饭　飯

提画　顿笔出锋

- 提画顿笔后向右上方提笔出锋。
- 提锋的走向多与后笔有呼应关系。
- 写好提画的关键之处是短小有力。

钩的练习：横钩　竖钩　斜钩

横钩

低　高　钩笔勿长，出钩有力

扫码看书写示范

一	写	军	枕	买	皮	沉
一	写	军	枕	买	皮	沉

挑战繁体字

当　當

竖钩

起笔稍顿　垂直下行

扫码看书写示范

亅	水	可	扫	寸	列	寺
亅	水	可	扫	寸	列	寺

挑战繁体字

则　則

斜钩

忌直行，略带弧形　注意角度、方向

扫码看书写示范

㇂	戈	戏	成	伐	茂	我
㇂	戈	戏	成	伐	茂	我

挑战繁体字

紫　紫

●钩画有很多种，根据行笔方向与角度的不同可以分为横钩、竖钩、斜钩等。

●出钩方向有两种规律可循，一种为指向下一笔出锋，如竖钩、横钩，一种为指向字的中心出锋，如卧钩等，无论哪种，钩画均短小有力。

钩画 短小有力

组合笔画的练习：横折斜钩　横撇　横折钩

横折斜钩

斜钩的弯度因字而异，要自然舒展

扫码看书写示范

⺄	飞	气	风	凤	凰	佩
⺄	飞	气	风	凤	凰	佩

挑战繁体字

飞 飛

横撇

横稍斜

注意夹角撇有弧度

扫码看书写示范

㇇	反	冬	枝	歹	仅	茎
㇇	反	冬	枝	歹	仅	茎

挑战繁体字

发 發

横折钩

竖直挺钩身有力

扫码看书写示范

𠃌	刀	月	丙	司	内	切
𠃌	刀	月	丙	司	内	切

挑战繁体字

万 萬

古诗名句

可怜夜半虚前席，不问苍生问鬼神。

——（唐）李商隐《贾生》

组合笔画的练习：横折弯　横折弯钩　横折折撇

横折弯

上翘或出钩。角度约90°，不能横稍短，竖弯

扫码看书写示范

乙 投 朵 船 没 躲 沿

挑战繁体字

杀 殺

横折弯钩

凸，弯钩适当舒展竖弯略向左

扫码看书写示范

乙 几 乞 仇 九 忆 旭

挑战繁体字

几 幾

横折折撇

上紧下松略左倾

扫码看书写示范

乃 及 吸 建 笈 汲 廷

挑战繁体字

诞 誕

古诗名句

一年好景君须记，最是橙黄橘绿时。

——（宋）苏轼《赠刘景文》

组合笔画的练习：横折折折钩　竖折折钩　撇折点

横折折折钩

斜而不倒

扫码看书写示范

乃	仍	绣	奶	扔	隽	
乃	仍	绣	奶	扔	隽	

挑战繁体字

胜 勝

竖折折钩

上收下放　重心平稳

扫码看书写示范

马	乌	骂	鸟	与	骛	
马	乌	骂	鸟	与	骛	

挑战繁体字

码 碼

撇折点

注意重心平稳

扫码看书写示范

女	要	姜	娱	妄	威	
女	要	姜	娱	妄	威	

挑战繁体字

楼 樓

古诗名句

王师北定中原日

家祭无忘告乃翁

——（宋）陆游《示儿》

第三章　偏旁部首练习

练习偏旁部首，要与字的整体同时练习，这是因为同一种偏旁部首在不同的字中，有着不同的处理方法。具体地说，就是我们在练习写偏旁部首的时候，要根据这个字独有的形体特征，去有意识地留有空余之处，即笔下虽然没有写，但心中却有一个完整的字。

左偏旁的练习：口字旁　田字旁　石字旁

口字旁

口

上宽下窄

演变史

甲骨文　篆书　楷书

口	吹	吟	吧	吃	唱	咬
口	吹	吟	吧	吃	唱	咬

田字旁

田

整体上宽下窄

中横短

演变史

甲骨文　篆书　楷书

田	畔	畴	畸	略	畦	町
田	畔	畴	畸	略	畦	町

石字旁

石

横短

整体忌宽

位稍居上

演变史

甲骨文　篆书　楷书

石	破	研	砂	砖	码	砚
石	破	研	砂	砖	码	砚

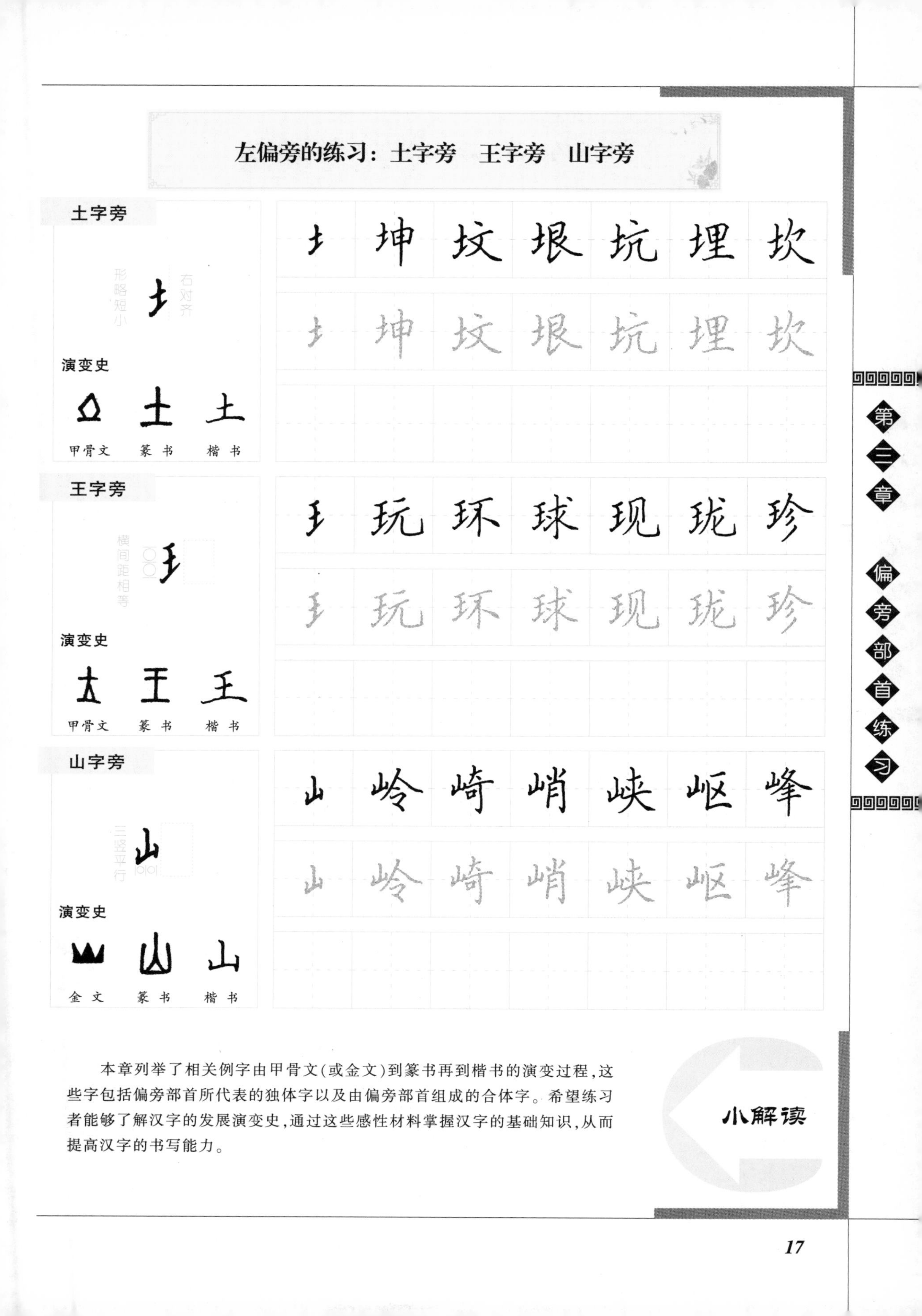

左偏旁的练习：土字旁　王字旁　山字旁

土字旁

形略短小　右对齐

演变史

甲骨文	篆书	楷书

土	坤	坟	垠	坑	埋	坎
土	坤	坟	垠	坑	埋	坎

王字旁

横间距相等

演变史

甲骨文	篆书	楷书

王	玩	环	球	现	珑	珍
王	玩	环	球	现	珑	珍

山字旁

三竖平行

演变史

金文	篆书	楷书

山	岭	崎	峭	峡	岖	峰
山	岭	崎	峭	峡	岖	峰

小解读

本章列举了相关例字由甲骨文(或金文)到篆书再到楷书的演变过程,这些字包括偏旁部首所代表的独体字以及由偏旁部首组成的合体字。希望练习者能够了解汉字的发展演变史,通过这些感性材料掌握汉字的基础知识,从而提高汉字的书写能力。

左偏旁的练习：两点水　三点水　言字旁

两点水

演变史

甲骨文　篆书　楷书

冫	冯	洗	冰	况	次	冻
冫	冯	洗	冰	况	次	冻

三点水

演变史

甲骨文　篆书　楷书

氵	沈	泥	沙	沫	汤	沐
氵	沈	泥	沙	沫	汤	沐

言字旁

演变史

甲骨文　篆书　楷书

讠	议	论	谋	诗	询	请
讠	议	论	谋	诗	询	请

要点归归看

●书写此类偏旁时，整体宜瘦。

●注意笔画之间的位置关系，当左部偏旁最后一笔为提画时，应与右部穿插避让，合理布局。

左偏旁的练习：单人旁　双人旁　竖心旁

单人旁

亻

垂露竖

于斜撇的中下部起笔

演变史

金文　篆书　楷书

亻	仁	付	佑	仍	仪	何
亻	仁	付	佑	仍	仪	何

双人旁

彳

注意起笔

垂露竖

演变史

甲骨文　篆书　楷书

彳	很	径	彼	律	德	待
彳	很	径	彼	律	德	待

竖心旁

忄

①②③

起笔与左点齐平，略横向

演变史

金文　篆书　楷书

忄	快	悔	忧	惜	愉	怀
忄	快	悔	忧	惜	愉	怀

古诗名句

问渠那得清如许

为有源头活水来

——（宋）朱熹《观书有感》

左偏旁的练习：牛字旁　提手旁　食字旁

牛字旁

牜

注意笔顺

提画与竖的中部相交

演变史

甲骨文　篆书　楷书（牛）

牜	牡	物	牲	牧	牦	犊
牜	牡	物	牲	牧	牦	犊

提手旁

扌

竖画直挺

右对齐

演变史

金文　篆书　楷书（手）

扌	推	掏	捧	掩	拨	据
扌	推	掏	捧	掩	拨	据

食字旁

饣

撇稍长

稍左斜

不宜太大

演变史

甲骨文　篆书　楷书（食）

饣	饮	饭	饲	饱	饥	饼
饣	饮	饭	饲	饱	饥	饼

古诗名句

等闲识得东风面
万紫千红总是春

——（宋）朱熹《春日》

左偏旁的练习：金字旁　绞丝旁　木字旁

金字旁

钅

横画等距

竖略偏左

演变史

金文　篆书　楷书

钅	钱	铁	铭	钩	铜	钉
钅	钱	铁	铭	钩	铜	钉

绞丝旁

纟

两撇折上大下稍小

右齐

演变史

甲骨文　篆书　楷书

纟	纪	纸	缠	经	纯	缝
纟	纪	纸	缠	经	纯	缝

木字旁

木

点起笔于竖画中部

垂露竖

演变史

甲骨文　篆书　楷书

木	机	枉	板	松	杨	柜
木	机	枉	板	松	杨	柜

古诗名句

人生自古谁无死，

留取丹心照汗青。

——（宋）文天祥《过零丁洋》

左偏旁的练习：禾字旁　示字旁　衣字旁

禾字旁

演变史

甲骨文　篆书　楷书

禾	利	秒	程	税	秋	移
禾	利	秒	程	税	秋	移

示字旁

演变史

甲骨文　篆书　楷书

礻	社	祥	福	祸	祖	神
礻	社	祥	福	祸	祖	神

衣字旁

演变史

甲骨文　篆书　楷书

衤	被	袜	初	衬	裤	袖
衤	被	袜	初	衬	裤	袖

要点归归看

●此页偏旁形易混,在书写时注意区分。

●笔画左伸右缩以让右部。

●撇画平直如斜撇，与横画夹角较小。撇与点的收笔位置处撇低点高取斜势,迎让右部。

左偏旁的练习：马字旁　子字旁　弓字旁

马字旁

马　提不出头　整体窄长

演变史

甲骨文　篆书　楷书

马	驻	骗	骏	骑	骄	驰
马	驻	骗	骏	骑	骄	驰

子字旁

子　注意夹角　略带弧形

演变史

甲骨文　篆书　楷书

孑	孜	孤	孺	孔	孢	孩
孑	孜	孤	孺	孔	孢	孩

弓字旁

弓　等距　上紧下松

演变史

甲骨文　篆书　楷书

弓	弛	强	弥	张	弹	引
弓	弛	强	弥	张	弹	引

要点归归看

- 此页偏旁整体呈上窄下宽、上收下放之势。
- 整体窄长，横向笔画缩短，主笔舒展。
- 注意转折处可方可圆，以求变化。

左偏旁的练习：巾字旁　米字旁　舟字旁

巾字旁

巾

左右相等

演变史

甲骨文　篆书　楷书

巾	帽	幌	幅	帖	帐	帜
巾	帽	幌	幅	帖	帐	帜

米字旁

米

横稍长略左伸

左右相等

演变史

甲骨文　篆书　楷书

米	糖	籽	粮	粘	粗	粒
米	糖	籽	粮	粘	粗	粒

舟字旁

舟

稍长略左伸

左右相等

演变史

甲骨文　篆书　楷书

舟	般	舰	航	舱	艇	舶
舟	般	舰	航	舱	艇	舶

古诗名句

人面不知何处去，桃花依旧笑春风。

——（唐）崔护《题都城南庄》

左偏旁的练习：月字旁　足字旁　鱼字旁

月字旁

月

等距　左右等高

演变史

甲骨文　篆书　楷书

月	肚	脸	肥	脱	脖	胖
月	肚	脸	肥	脱	脖	胖

足字旁

足

整体忌宽　右齐

演变史

甲骨文　篆书　楷书

足	路	跨	跟	跳	跪	踢
足	路	跨	跟	跳	跪	踢

鱼字旁

鱼

右齐

末横变提略左伸，让右部

演变史

甲骨文　篆书　楷书

鱼	鲜	鳞	鲛	鲤	鲸	鲍
鱼	鲜	鳞	鲛	鲤	鲸	鲍

古诗名句

不畏浮云遮望眼，自缘身在最高层。

——（宋）王安石《登飞来峰》

左偏旁的练习：舌字旁　耳字旁　方字旁

舌字旁

舌

横画左伸

演变史

甲骨文　篆书　楷书

舌	辞	敌	甜	刮	舔	舐
舌	辞	敌	甜	刮	舔	舐

耳字旁

耳

左右基本相等

末横变提

竖用垂露

演变史

甲骨文　篆书　楷书

耳	取	耻	联	职	聪	耶
耳	取	耻	联	职	聪	耶

方字旁

方

注意重心

横略上仰

演变史

金文　篆书　楷书

方	旅	旗	旋	放	族	施
方	旅	旗	旋	放	族	施

古诗名句

春风又绿江南岸，明月何时照我还。

——（宋）王安石《泊船瓜洲》

左偏旁的练习：矢字旁　虫字旁　火字旁

矢字旁

矢　横画上仰　对齐　末捺变点

演变史

甲骨文　篆书　楷书

矢	矫	知	雉	短	矮	矩
矢	矫	知	雉	短	矮	矩

虫字旁

虫　整体不能太宽　右齐　忌长

演变史

甲骨文　篆书　楷书

虫	虾	蛙	蚂	蛇	蚊	蜂
虫	虾	蛙	蚂	蛇	蚊	蜂

火字旁

火　①②③④　注意重心　末捺变点

演变史

甲骨文　篆书　楷书

火	烦	炸	炮	灯	烟	炬
火	烦	炸	炮	灯	烟	炬

要点归归看

●此页偏旁末笔都为点画，其收笔位置较高，取斜势。

●书写时偏旁位居左上，多数与右部齐头。

●偏旁右部笔画的起收笔位置在一条竖线上，即右齐，与右部合理布局、穿插避让。

左偏旁的练习：女字旁　歹字旁　左耳刀

女字旁

女

① 横画作提不出头 ③
② 斜中求稳

演变史

甲骨文　篆书　楷书

女	妈	婚	妇	好	她	妹
女	妈	婚	妇	好	她	妹

歹字旁

歹

此撇稍短
短横扛肩

演变史

甲骨文　篆书　楷书

歹	残	殚	殉	殇	列	殊
歹	残	殚	殉	殇	列	殊

左耳刀

阝

垂露竖

演变史

甲骨文　篆书　楷书

阝	际	阵	阿	陈	阴	陆
阝	际	阵	阿	陈	阴	陆

古诗名句

凭君莫话封侯事，一将功成万骨枯。

——（唐）曹松《己亥岁（二首选一）》

不必说碧绿

的菜畦光滑的石井栏高

大的皂荚树紫红的桑葚也不

必说鸣蝉在树叶里长吟肥胖的黄蜂

伏在菜花上轻捷的叫天子忽然从草间

直窜向云霄里去了单是周围的短短的

泥墙根一带就有无限趣味油蛉在这里

低唱蟋蟀们在这里弹琴翻开断砖来有

时会遇见蜈蚣还有斑蝥倘若用手

指按住它的脊梁便会啪的一

声从后窍喷出一阵烟雾

英章书

水陆草木之花
可爱者甚
蕃晋陶渊明独
爱菊自李
唐来世人盛爱
牡丹予独爱
莲之出淤泥
而不染濯
清涟而不妖中
通外直不
蔓不枝香远益
清亭亭净
植可远观而不
可亵玩焉
爱莲说节选 英章书

渡荆门送别

英章书

渡远荆门外，来从楚国游。
山随平野尽，江入大荒流。
月下飞天镜，云生结海楼。
仍怜故乡水，万里送行舟。

春夜喜雨

英章书

好雨知时节，当春乃发生。
随风潜入夜，润物细无声。
野径云俱黑，江船火独明。
晓看红湿处，花重锦官城。

日照香炉生紫烟
遥看瀑布挂前川
飞流直下三千尺
疑是银河落九天

李白乘舟将欲行
忽闻岸上踏歌声
桃花潭水深千尺
不及汪伦送我情

故人西辞黄鹤楼
烟花三月下扬州
孤帆远影碧空尽
唯见长江天际流

朝辞白帝彩云间
千里江陵一日还
两岸猿声啼不住
轻舟已过万重山

李白诗四首 甲午初冬于北京 田英章书

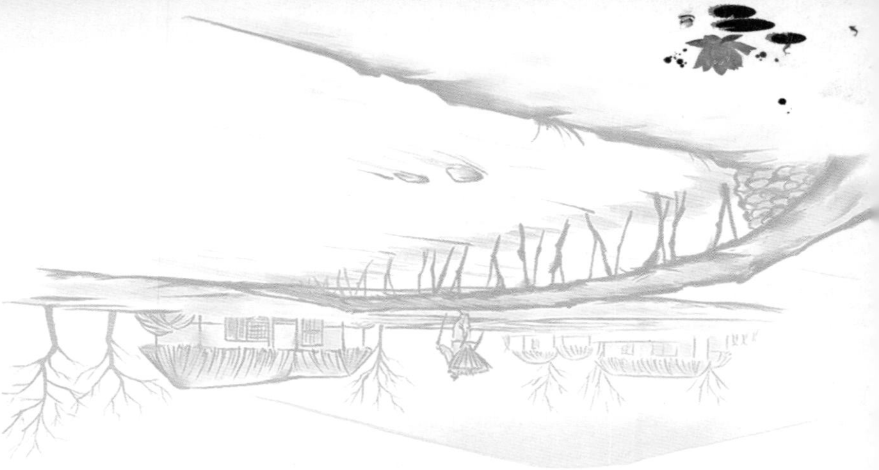

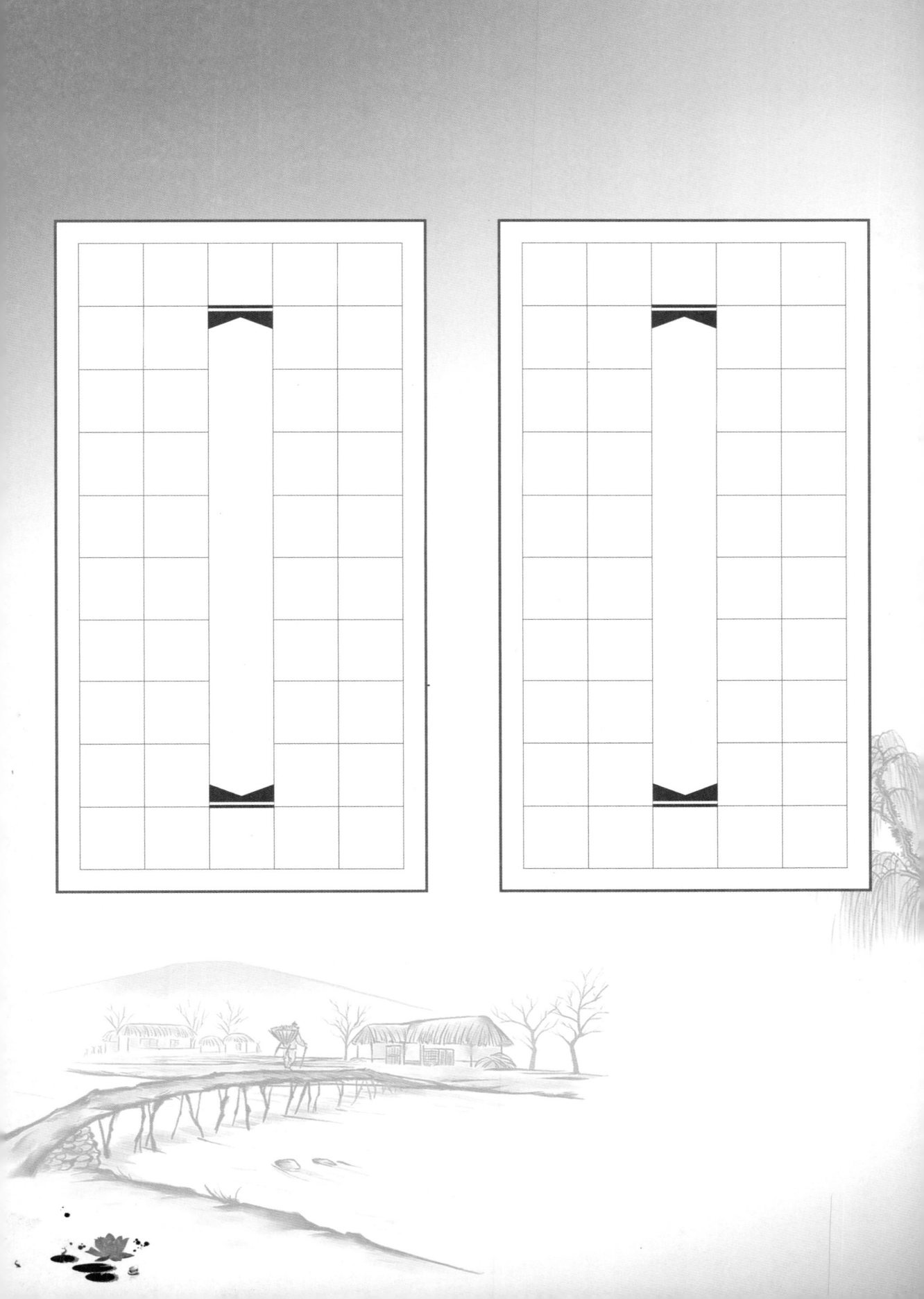

右偏旁的练习：殳字旁　右耳刀　单耳刀

殳字旁

殳

撇画紧收　捺画伸展

演变史

甲骨文　篆书　楷书

殳	般	段	毁	殿	毅	殷
殳	般	段	毁	殿	毅	殷

右耳刀

阝

居右下　悬针竖

演变史

甲骨文　篆书　楷书

阝	那	邦	郊	郁	邵	郑
阝	那	邦	郊	郁	邵	郑

单耳刀

卩

居右下　悬针竖

演变史

甲骨文　篆书　楷书

卩	印	却	卵	即	卸	卿
卩	印	却	卵	即	卸	卿

要点归归看

- “阝”作左偏旁时位居左上部，作右偏旁时位居右下部。
- 左偏旁中的竖画多为垂露竖，右偏旁中的竖画多为悬针竖。
- 左、右耳刀笔画的大小、方向有区别，单耳刀的横折钩向左下内包。

右偏旁的练习：立刀旁　力字旁　三撇旁

立刀旁

刂

不宜长　钩身宜小

演变史

甲骨文　篆书　楷书

刂　则　刑　刻　削　刘　划

刂　则　刑　刻　削　刘　划

力字旁

力

撇稍短　稍左下斜

演变史

甲骨文　篆书　楷书

力　劝　励　动　幼　勤　助

力　劝　励　动　幼　勤　助

三撇旁

彡

等距　末撇伸展

演变史

金文　篆书　楷书

彡　杉　彩　彤　形　影　彭

彡　杉　彩　彤　形　影　彭

古诗名句

忽如一夜春风来，千树万树梨花开。

——（唐）岑参《白雪歌送武判官归京》

右偏旁的练习：反文旁　鸟字旁　佳字旁

反文旁

文

整体上收下放

注意中心紧凑

演变史

甲骨文　篆书　楷书

攵	收	效	改	政	教	散
攵	收	效	改	政	教	散

鸟字旁

鸟

左小右大

上窄下宽

演变史

甲骨文　篆书　楷书

鸟	鸭	鸥	鹂	鹊	鹅	鸪
鸟	鸭	鸥	鹂	鹊	鹅	鸪

佳字旁

隹

横画等距

出头稍长

略右伸

演变史

甲骨文　篆书　楷书

隹	雄	堆	难	维	雌	雕
隹	雄	堆	难	维	雌	雕

要点归归看

- 右偏旁整体左收右放以让左部，注意两部之间的笔画穿插避让。
- 反文旁中宫紧收，即每个笔画的起笔位置靠近，形成小空间，四周舒展。
- 鸟字旁应头小身子大(上小下大)，同鸟儿一样。
- 佳字旁注意横竖的长短。

字头的练习：秃宝盖　宝盖头　穴宝盖

秃宝盖

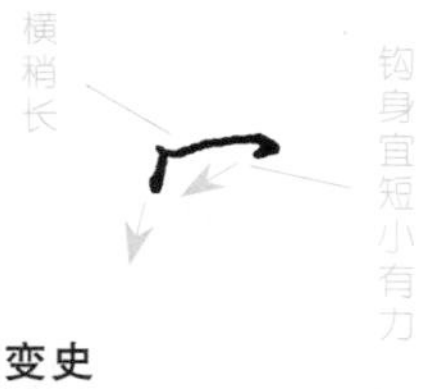

演变史

金文　篆书　楷书

冖　写　冥　冤　冠　冗　军

宝盖头

演变史

甲骨文　篆书　楷书

宀　官　守　宠　宜　安　宽

穴宝盖

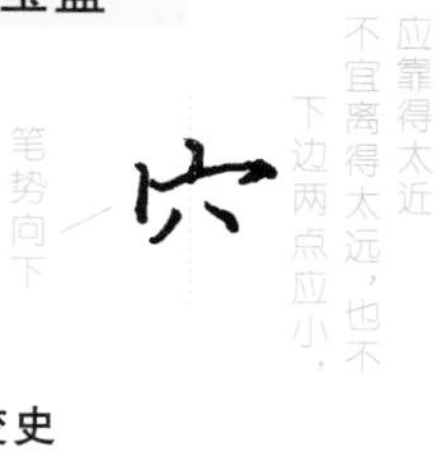

演变史

甲骨文　篆书　楷书

穴　空　穿　帘　究　窄　突

要点归归看

●以上字头钩画指向字心。

●当下部有主笔时，如长横、钩画等，字头的横画宜短；当下部较窄时，字头的横画宜长。

●上下结构的字最忌上下分家，间距较远，上下应合理布局。书写穴宝盖时，注意下部笔画与点画的穿插。

字头的练习：京字头　草字头　竹字头

京字头

亠

横长

横画长短视下部笔画而定，下部有长笔画则短，反之则长

演变史

甲骨文　篆书　楷书

亠	京	亩	玄	享	亢	亥
亠	京	亩	玄	享	亢	亥

草字头

艹

①②③

上放下收

长　短

演变史

甲骨文　篆书　楷书

艹	苹	苦	茅	著	芳	暮
艹	苹	苦	茅	著	芳	暮

竹字头

⺮

左低右高

大小基本一样

演变史

金文　篆书　楷书

⺮	笨	笑	管	笔	简	答
⺮	笨	笑	管	笔	简	答

古诗名句

春色满园关不住，一枝红杏出墙来。

——（宋）叶绍翁《游园不值》

字头的练习：爫字头　雨字头　厂字头

爫字头

演变史

爫 爱 采 觅 受 妥 孚

雨字头

演变史

⻗ 需 震 雪 霆 零 雾

厂字头

演变史

厂 历 压 厚 厉 原 厄

古诗名句

莫见长安行乐处，空令岁月易蹉跎。

——（唐）李颀《送魏万之京》

字头的练习：广字头　户字头　病字头

广字头

广	庆	应	庄	床	康	麻
广	庆	应	庄	床	康	麻

演变史

金文　篆书　楷书

户字头

户	房	雇	扈	扁	戾	肩
户	房	雇	扈	扁	戾	肩

演变史

甲骨文　篆书　楷书

病字头

疒	疼	疲	疗	疯	症	痛
疒	疼	疲	疗	疯	症	痛

演变史

甲骨文　篆书　楷书

要点归归看

- 左上包偏旁的字，书写右下部时稍偏右，以稳重心。
- 横、撇起笔处重合，为下部节省空间。
- 撇画平直，当右下部也有撇画时，应注意区分撇的方向及弧度的灵活变化。

字头的练习：反文头　春字头　父字头

反文头

演变史

甲骨文　篆书　楷书

夂	冬	各	条	务	备	惫
夂	冬	各	条	务	备	惫

春字头

演变史

金文　篆书　楷书

夫	秦	春	泰	奉	蠢	奏
夫	秦	春	泰	奉	蠢	奏

父字头

演变史

甲骨文　篆书　楷书

父	爷	爸	釜	爹	斧	嗲
父	爷	爸	釜	爹	斧	嗲

要点归归看

●以上字头中含有撇捺，宜舒展以覆盖下部，撇画为斜撇，较平直，与捺相交靠上。

●下部应向上迎就避免脱节，但笔画不可与撇捺重合。

●收笔处，撇低捺稍高，注意整体的重心。

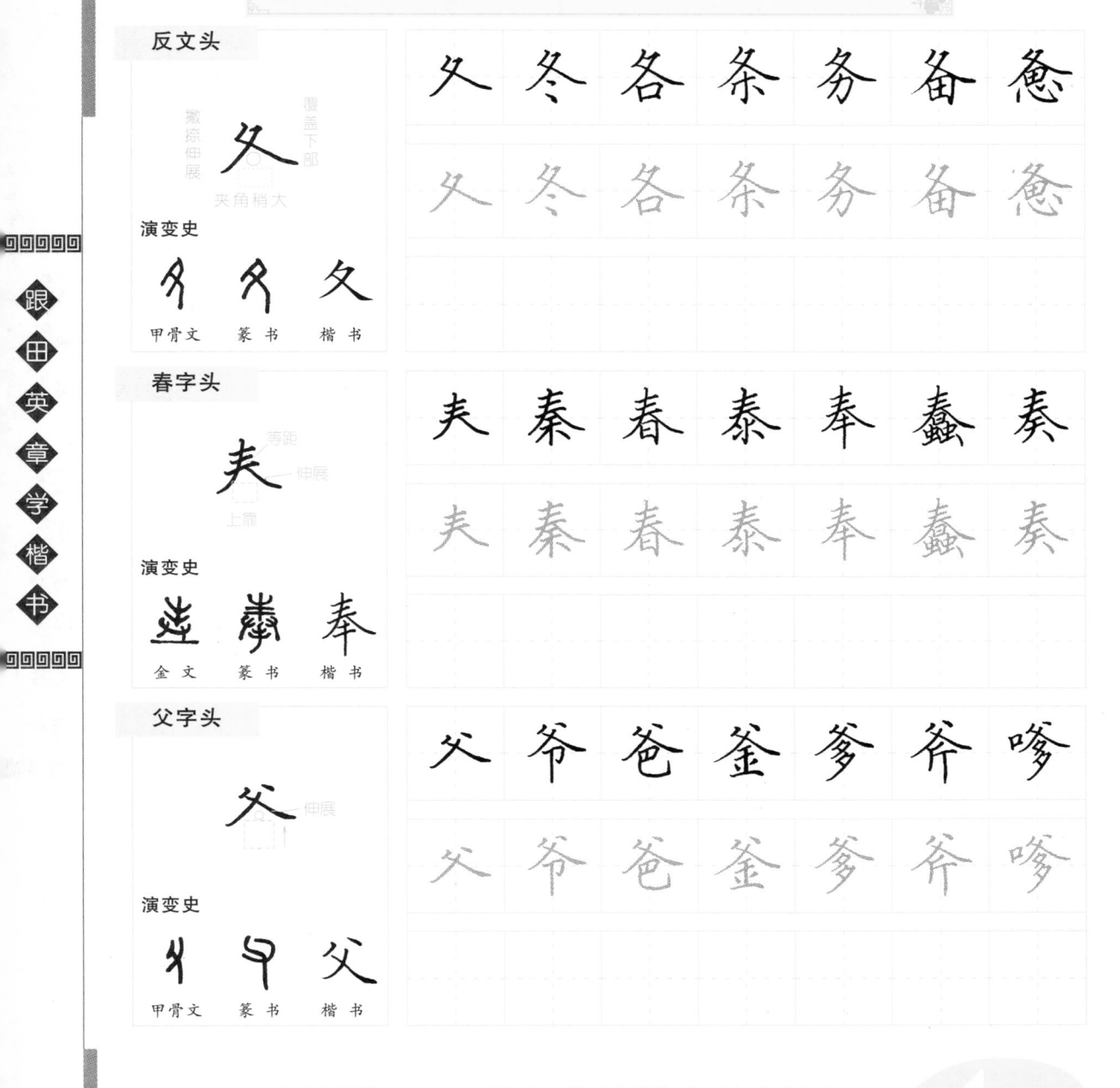

字头的练习：人字头　八字头　大字头

人字头

人

撇捺伸展覆下　出头　左低右稍高

演变史

甲骨文　篆书　楷书

人	金	舍	合	余	全	企
人	金	舍	合	余	全	企

八字头

八

撇低　捺高

演变史

甲骨文　篆书　楷书

八	分	兮	忿	公	贫	翁
八	分	兮	忿	公	贫	翁

大字头

大

短　长　长　下部上靠

演变史

金文　篆书　楷书

大	套	奈	奔	夺	夸	奋
大	套	奈	奔	夺	夸	奋

古诗名句

醉卧沙场君莫笑，古来征战几人回。

——（唐）王翰《凉州词》

字底的练习：四点底　心字底　皿字底

四点底

演变史

甲骨文　篆书　楷书

灬	杰	羔	燕	熊	煮	烝

心字底

演变史

甲骨文　篆书　楷书

心	恶	忍	忠	忽	态	息

皿字底

演变史

金文　篆书　楷书

皿	盖	监	盆	盗	盐	盛

要点归归看

- 字底起承托上部的作用，因此要写得较宽。
- 四点底注意区分点画的行笔方向、大小。
- 心字底斜而不倒，点画之间相互顾盼。
- 皿字底将横向笔画拉长，竖向笔画缩短并向内倾斜，各竖之间等距。

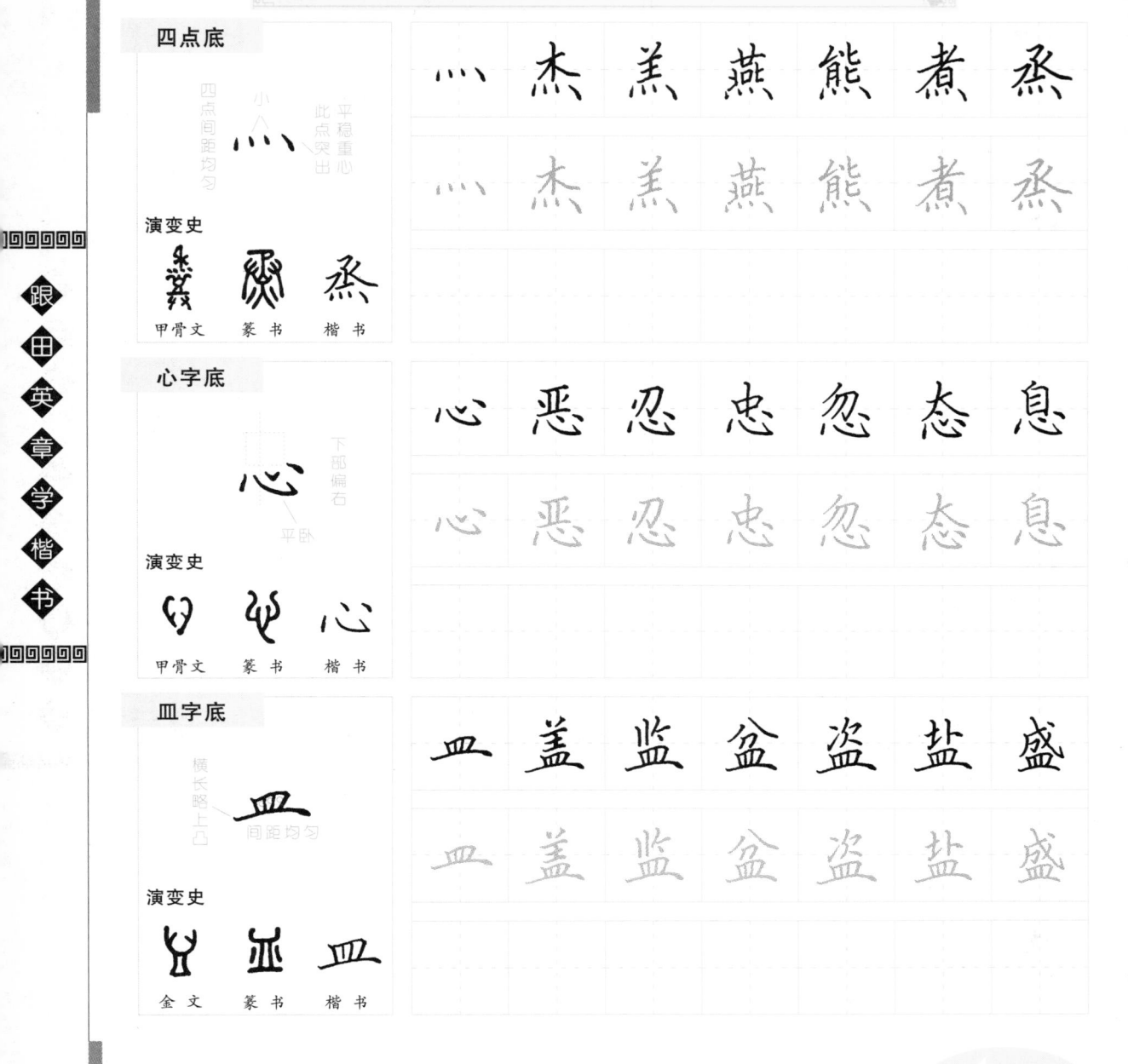

字底的练习：走之底　建字底　走字底

走之底

演变史

甲骨文　篆书　楷书

辶	迷	逼	造	追	近	迹
辶	迷	逼	造	追	近	迹

建字底

演变史

甲骨文　篆书　楷书

廴	建	键	健	廷	挺	延
廴	建	键	健	廷	挺	延

走字底

演变史

金文　篆书　楷书

走	赵	起	趋	赶	趁	趄
走	赵	起	趋	赶	趁	趄

要点归归看

●此类偏旁为左下包右上，捺画较长，一波三折，承托上部。

●被包部分应靠近左部，忌超出捺角。

●走之底的横折折撇行笔轻松，向左倾。建字底横折折撇中两个折行笔方向不一。走字底竖分横画左长右短，下部撇捺呈开张之势。

字底的练习：儿字底　衣字底　马字底

儿字底

儿

不宜长　钩向正上方　圆转自然

演变史

儿

甲骨文　篆书　楷书

儿	元	充	先	党	兜	兀
儿	元	充	先	党	兜	兀

衣字底

衣

横短　上紧下松　左低右略高

演变史

衣

甲骨文　篆书　楷书

衣	袋	装	袅	裂	袭	袤
衣	袋	装	袅	裂	袭	袤

马字底

马

上紧　下松

演变史

驾

甲骨文　篆书　楷书

马	驾	驽	骞	骂	骛	骜
马	驾	驽	骞	骂	骛	骜

古诗名句

商女不知亡国恨，
隔江犹唱后庭花。

——(唐)杜牧《泊秦淮》

字框的练习：门字框　同字框　国字框

门字框

门

左竖短　框形方正　上靠

演变史

金文　篆书　楷书

门	闷	阁	问	闺	闯	闵
门	闷	阁	问	闺	闯	闵

同字框

冂

左竖稍短　上靠

演变史

甲骨文　篆书　楷书

冂	冏	同	罔	网	冈	肉
冂	冏	同	罔	网	冈	肉

国字框

囗

整体呈长方形　位居正中　不封口，以免滞闷

演变史

甲骨文　篆书　楷书

囗	围	圆	图	困	园	国
囗	围	圆	图	困	园	国

要点归归看

●包围型的字关键在于处理好包围部分与被包围部分之间的关系，即被包围的部分应靠上书写。

●一个字中有左右两竖时，收笔处左高右低。

●包围结构的字不宜将字写得封闭，应略有空隙，围而不堵。

字框的练习：区字框　句字框　画字框

区字框

匚
稍短
稍长
折笔有力

演变史

甲骨文	篆书	楷书
		区

匚	区	匠	匹	匝	医	匣
匚	区	匠	匹	匝	医	匣

句字框

勹
自然
框内部分稍居左

演变史

金文	篆书	楷书
		甸

勹	勿	勾	甸	句	匍	匈
勹	勿	勾	甸	句	匍	匈

画字框

凵
高
框形上开下收

演变史

甲骨文	篆书	楷书
		幽

凵	画	幽	去	出	凶	函
凵	画	幽	去	出	凶	函

古诗名句

清明时节雨纷纷，路上行人欲断魂。

——（唐）杜牧《清明》

第四章　间架结构练习

结构和笔画、偏旁有着密切的关系，它研究如何才能很好地把有关笔画、偏旁合理地组合在一起，使之形成一个造型优美的艺术字，从这个意义上说，只练好笔画、偏旁，是远远不够的。要练就一手过硬的钢笔字，很大程度上取决于对结构的掌握，在结构上狠下功夫。

间架结构的练习：首点居正　通变顾盼　点竖直对

首点居正

主

首点应居于全字中心之上，棱角突显，飒爽精神，这是点画技法的要诀。

主	方	立	六	亢	文	户
主	方	立	六	亢	文	户

通变顾盼

呼应

心

一字之中若有多点就应通变顾盼，各具情态，首尾意连，彼此呼应。

心	念	必	冷	洋	添	沙
心	念	必	冷	洋	添	沙

点竖直对

市

点与竖在一条直线上

一字之中，如果上面有点，下面有竖，应该考虑是否直对，如直对，再考虑点画的位置。

市	永	帝	店	卞	卒	宝
市	永	帝	店	卞	卒	宝

间架结构的练习：中直对正　中直偏右　竖笔等距

中直对正

卡

两竖在一条线上

一字之中，如果上部下部都有竖画，那么两竖应该直对。

卡	歪	崔	常	素	桌	臣
卡	歪	崔	常	素	桌	臣

中直偏右

下

竖画稍偏右

竖画在中间的字，都应该垂直劲挺，但须稍偏右，以免显得呆板。

下	是	命	定	宇	止	乎
下	是	命	定	宇	止	乎

竖笔等距

等距

川

竖笔之间凡没有点、撇、捺的字，间距要基本相等，楷书是这样，行书亦然。

川	册	典	盖	而	仰	皿
川	册	典	盖	而	仰	皿

古诗名句

姑苏城外寒山寺，夜半钟声到客船。

——（唐）张继《枫桥夜泊》

间架结构的练习：横笔等距　底竖斜位　上收下展

横笔等距

三

等距

横笔之间凡没有点、撇、捺的字，间距要基本相等。

三 乍 拜 韦 垂 甫 曲

三 乍 拜 韦 垂 甫 曲

底竖斜位

于

偏右

凡竖在下方的字，竖画不是全部都居中，或偏左，或偏右，偏右者多，偏左者少。

于 可 夜 寻 年 芹 毕

于 可 夜 寻 年 芹 毕

上收下展

易

上收

下展

此类字上方收紧，下方展开以托住上方。此为上下结构的字常用的一种技法。

易 象 照 足 皇 兔 更

易 象 照 足 皇 兔 更

古诗名句

羌笛何须怨杨柳，春风不度玉门关。

——(唐)王之涣《凉州词》

间架结构的练习：上展下收　上正下斜　上斜下正

上展下收

香 ← 上展 ← 下收

“上展”是指上部飘扬洒脱，以显示字的精神；“下收”是指下部凝重稳健，以显示字的端庄。

香 重 祭 盲 畜 含 仓

香 重 祭 盲 畜 含 仓

上正下斜

芳 ← 上正 ← 下斜

“上正”指的是上部端正；“下斜”指的是下取斜势。下部斜而有度，注意重心。

芳 霉 势 穷 毒 灾 恩

芳 霉 势 穷 毒 灾 恩

上斜下正

登 ← 上斜 ← 下正

凡是上下结构的字，上斜下正的居多，上斜以取其势而呼应下方。

登 贺 鸢 炎 岱 盏 智

登 贺 鸢 炎 岱 盏 智

古诗名句

独在异乡为异客，每逢佳节倍思亲。

——(唐)王维《九月九日忆山东兄弟》

间架结构的练习：下方迎就　左收右放　左斜右正

下方迎就

令

凡是上方有撇、捺等开张笔画的字，下方多应上移迎就，这是为了使字显得紧凑不脱节。

令	昏	武	卷	吞	吝	奉
令	昏	武	卷	吞	吝	奉

左收右放

左收　右放

吸

凡是左右结构的字，以左收右放者居多，这是左右结构的字的普遍规律。

吸	峻	竹	河	炖	端	挖
吸	峻	竹	河	炖	端	挖

左斜右正

左斜　右正

经

凡是左右结构的字，以左斜右正的字居多，左斜为呼，右正为应。

经	班	外	利	姐	种	砚
经	班	外	利	姐	种	砚

古诗名句

十年一觉扬州梦，赢得青楼薄幸名。

——（唐）杜牧《遣怀》

间架结构的练习：对等平分　左右对称　主笔脊柱

对等平分

左右宽窄基本相等

帖

凡是左右对等平分的字，高低对等，宽窄相当，平分秋色。

帖	雅	甜	朋	般	鞋	期
帖	雅	甜	朋	般	鞋	期

左右对称

秋

凡是左边有撇，右边有捺的字均需平稳对称。其笔画的高、低、长、短应该就字的形态而定。

秋	呆	全	交	奏	察	凳
秋	呆	全	交	奏	察	凳

主笔脊柱

旦

主笔

字中有一笔是主笔，其他的笔画为辅笔，主笔担当字的脊梁，其他笔画附其血肉。

旦	民	也	吏	申	进	忒
旦	民	也	吏	申	进	忒

古诗名句

多情只有春庭月，犹为离人照落花。

——(唐)张泌《寄人》

间架结构的练习：中宫收紧　收缩纵展　大小独具

中宫收紧

商 中宫收紧

“中宫”指的是核心，中宫收紧而其他笔画向外开展，以字中为核心，内聚外散。

商	并	父	冉	亚	共	酉
商	并	父	冉	亚	共	酉

收缩纵展

王 收 展

这是常用的一个书写方法，学书的人都不能违背。收缩为其纵展，纵展反为收缩。

王	左	哥	真	女	多	平
王	左	哥	真	女	多	平

大小独具

日 笔画少则小

字有大小，大的字不可写小了，小的字不可写大了，自然天成，各臻其妙。

日	只	小	西	豫	凝	辩
日	只	小	西	豫	凝	辩

古诗名句

不	知	何	处	吹	芦	管
一	夜	征	人	尽	望	乡

——（唐）李益《夜上受降城闻笛》

间架结构的练习：连撇参差　三部呼应　钩趯匕刃

连撇参差

象

众撇指向不一

多撇的字，最忌讳写成排牙之状、车轨之形，应发笔不同，指向不一。

象	被	泼	反	蒙	彦	珍
象	被	泼	反	蒙	彦	珍

三部呼应

智

三部相互呼应

凡由三个部分组成的字，应揖让顾盼，避就相迎，浑然一体。

智	徽	彬	臂	鉴	卿	紧
智	徽	彬	臂	鉴	卿	紧

钩趯匕刃

也

重钩化减

楷书技法中，钩身不宜长，犹如匕刃，但一个字中如果有多个钩画，必须化减。

也	氛	引	丁	宅	辰	寻
也	氛	引	丁	宅	辰	寻

古诗名句

正是江南好风景，落花时节又逢君。

——（唐）杜甫《江南逢李龟年》

间架结构的练习：围而不堵　斜抱穿插　牵丝粘连

围而不堵

因

围而不堵，守不宜困，为有包围部分的字的常用之法，以避免呆板、滞闷之感。

因 四 自 囟 固 团 冒

因 四 自 囟 固 团 冒

斜抱穿插

放

由两个部分组合的字最忌讳远离，应该双肩合抱，互带穿插，鳞羽错落，呼应强烈。

放 攻 钦 科 姣 疏 城

放 攻 钦 科 姣 疏 城

牵丝粘连

影

笔画是筋骨，牵丝为血脉。这个技法要求笔断意连，形断而意不断。

影 妙 火 小 遂 液 溢

影 妙 火 小 遂 液 溢

古诗名句

天阶夜色凉如水，坐看牵牛织女星。

——（唐）杜牧《秋夕》

第五章 实用练习

最常用一百字

心	上	下	中	来	大	人	不	永	水
马	里	北	川	年	天	美	本	生	反
去	光	长	也	此	身	羽	他	行	说
没	打	情	饭	阳	林	和	经	精	社
初	强	铁	到	形	呀	师	难	明	地
现	峰	硬	路	骑	物	轻	新	都	群
解	的	好	领	放	服	职	般	就	这
随	飘	是	要	等	意	靠	落	然	装
集	家	究	会	春	真	需	高	常	爱
有	着	原	房	成	道	建	起	间	图

心灵小语

梦想家与空想者之间有着值得深思的距离。

梦想是前进的动力，是帮助我们披荆斩棘的利刃，搏击巨浪的双桨。

先有伟大的目标，才有可能取得伟大的成功。自由选择未来人生道路的权利，是我们作为自己主人的最有力工具。

理想决定了我们努力的方向以及未来的可能性。把理想定在高于当前的位置，你的今天才有可能被未来超越。

没有目标的飘荡很容易迷失方向，太远的目标同样无济于事。

在为梦想奋斗的过程中，能够帮助我们获得荣誉的关键因素往往源自内心的信念。

国学经典名句

人之有德于我也，不可忘也；吾有德于人也，不可不忘也。

——《战国策·魏策》

人之性也，善恶混。修其善则为善人，修其恶则为恶人。

——扬雄《扬子法言》

学而时习之，不亦说乎？有朋自远方来，不亦乐乎？人不知而不愠，不亦君子乎？

——《论语·学而》

人无礼则不生，事无礼则不成，国家无礼则不宁。

——《荀子·修身》

天下事有难易乎？为之，则难者亦易矣；不为，则易者亦难矣。

——彭端淑《为学》

用人者，取人之长，辟人之短；教人者，成人之长，去人之短也。

——魏源《默觚下·治篇》

富贵不能淫，贫贱不能移，威武不能屈，此之谓大丈夫。

——《孟子·滕文公下》

章法及作品

书法作品的创作或临写，首先应确定形式与章法。以下对硬笔书法主要的书写形式章法进行介绍：

1.中堂 这类作品大多挂于厅堂正中。中堂一般竖向布局，长大于宽，略呈长方形，偶有正方形或横式布局。钢笔书法作品受篇幅大小及笔触粗细的限制，中堂比较少见。

2.扇面 分为折扇、团扇两种。折扇上大下小呈辐射状，团扇为圆形或椭圆形。

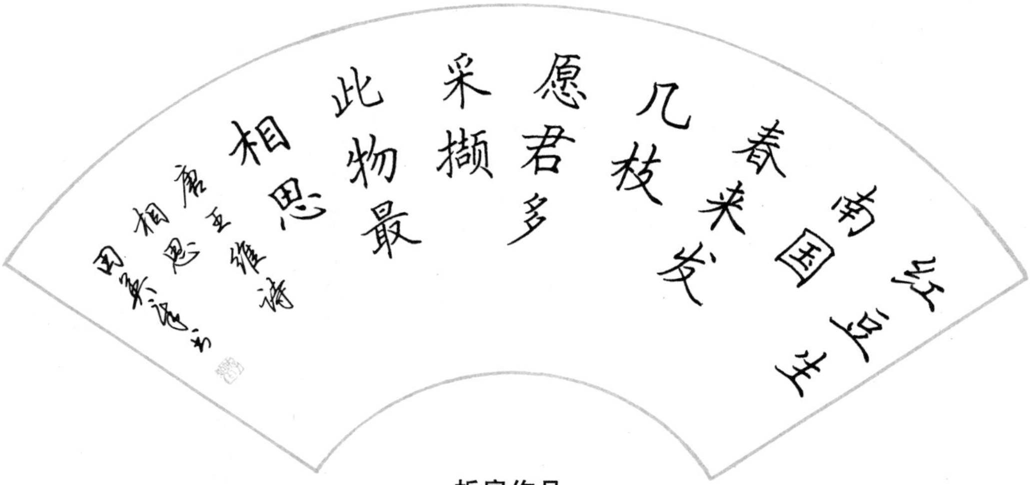

折扇作品

团扇作品

3.横幅　尺幅呈横向，横长竖短的作品称横幅，一般从右往左竖向书写。

4.长卷　长卷亦称手卷，同横幅一样呈横向排列，只是较横幅要长得多。一般书写文字较多的作品，从右向左竖向书写。

明月几时有把酒
问青天不知天上
宫阙今夕是何年
我欲乘风归去又
恐琼楼玉宇高处
不胜寒起舞弄清
影何似在人间转
朱阁低绮户照无
眠不应有恨何事
长向别时圆人有
悲欢离合月有阴
晴圆缺此事古难
全但愿人长久千
里共婵娟

横幅作品

5.条幅　条幅又称竖幅，可由书写的内容、构思及用途确定长度，从右向左竖式书写。

6.条屏　由多幅条幅成偶数排列起来的样式称为条屏。

凤凰台上凤凰游
凤去台空江自流
吴宫花草埋幽径
晋代衣冠成古丘
三山半落青天外
一水中分白鹭洲
总为浮云能蔽日
长安不见使人愁
李白诗登金陵凤凰台田英章书于北京斗室
隐隐飞桥隔野烟
石矶西畔问渔船
桃花尽日随流水
洞在清溪何处边
山光物态弄春晖
莫为轻阴便拟归
纵使晴明无雨色
入云深处亦沾衣
右录唐张旭诗二首壬午孟冬上浣于京郊田英章

条幅作品

7.对联 又称楹联，书写内容对偶工整，右联为上联，左联为下联，例如：“世外凭临一面峰峦三面海，云中结构二分人力几分天。”

画阁镜中看幻作神仙福地
岁次丙戌立冬前三日
飞泉云外听写成山水清音
田英章字于北京
世外凭临一面峰峦三面海
岁次丙戌仲秋上浣
云中结构二分人力几分天
田英章于北京

对联作品